KAYA WALKER

DROOMVANGERS

Alles over droomvangers en hoe je deze zelf kunt maken

Ontdek de geheimen van je dromen
en maak deze waar!

INHOUD

INLEIDING

Dit boekje geeft een aantal algemene ideeën over droomvangers. Het belangrijkste, zoals later nog zal worden uiteengezet, is dat deze inleiding over droomvangers niet pretendeert een volledige verhandeling te zijn over de droomvangertradities en -gebruiken van de Native Americans (de oorspronkelijke bewoners van Amerika: de Indianen). Het is een westerse bewerking van een spiritueel hulpmiddel.

In dit boekje zul je manieren leren kennen waarop je een droomvanger kunt gebruiken om je leven gezonder en vrediger te maken. We zullen het hebben over de verschillende elementen van droomvangers, en wat deze symboliseren, en hoe je droomvangers kunt personaliseren om specifieke behoeften te vervullen.

Droomvangers staan natuurlijk vooral bekend om hun hulp bij droomwerk en daar zullen we in deel 3 dieper op ingaan. Tot slot zul je methodes leren – die je misschien zullen verrassen – waarmee een droomvanger, naast zijn hulp bij dromen, ook het spirituele leefklimaat van de ruimte waarin hij hangt kan veranderen.

DEEL 1.

KENNISMAKING MET DROOMVANGERS

Droomvangers hebben niet alleen ontelbare 'boze' dromen gevangen, maar ook de aandacht getrokken van vele niet-Native Americans. We worden gelokt door hun schoonheid en belofte van vrede en geluk, ook al begrijpen we niet volledig wat droomvangers betekenen, of alles waartoe ze in staat zijn, of de complexiteit van hun ontwerp.

Dit boekje hoopt hierover een aantal ideeën aan te reiken, zodat meer mensen hun schoonheid leren waarderen en baat zullen hebben bij hun gaven.

POPULARITEIT

De New Age beweging, het intercultureel uitwisselen van spirituele gebruiken, en eenvoudige wereldwijde communicatie moedigen ons allemaal aan ons beste zelf te zijn, ons beste leven te leven, en dat alles ook nog moeiteloos en evenwichtig. We veronderstellen dat succes ons geboorterecht is en dat als we niet wekelijks onze professionele, romantische, huishoudelijke en creatieve doelen halen, we het gewoon niet hard genoeg proberen. En vergeet hierbij vooral niet Zen te blijven! Misschien heb je gewoon (nog) een '30-Dagen-Spiritueel-Reinigende-Bootcamp' nodig.

Door al dit streven, al die verwachtingen, en alle hulpmiddelen en technieken die tot onze beschikking staan, moeten we wel een steeds grotere persoonlijke groei doormaken, en liefst steeds sneller. Serieus, dat is toch vreselijk vermoeiend allemaal. Je zou zomaar kunnen gaan denken: 'Wat zou het fijn zijn als ik eens één week geen openbaring kreeg die weer vraagt om een herziening van een deel van mijn leven!'
Wanneer kunnen we afremmen of even pauze nemen?

WE BEGRIJPEN DAT DE
DROOMVANGER EEN
SPIRITUEEL HULPMIDDEL
IS DAT WEINIG
INSPANNING OF KENNIS
VAN ONS VRAAGT.

Het lijkt wel of we even vrijaf willen van al het harde werken om spiritueel volwassen te worden (om nog maar te zwijgen van ons streven om lichamelijk gezond, geestelijk slagvaardig, en emotioneel evenwichtig te worden, allemaal tegelijkertijd).

Dit is waarschijnlijk een van de redenen waarom droomvangers zo populair zijn. De meeste mensen hebben ze weleens gezien, in cadeauwinkels, in musea of galerijen, in New Age winkeltjes. Hoewel droomvangers oorspronkelijk afkomstig zijn van de Native Americans, zijn ze onderdeel geworden van een grotere populaire wereldcultuur.

Hoewel velen van ons niet alle interessante details van droomvangers kennen (daar kan dit boek een handje bij helpen!), hebben we wel een globaal idee van wat ze zijn en hoe ze werken.

We begrijpen (of veronderstellen) dat de droomvanger een spiritueel hulpmiddel is dat weinig inspanning of kennis van ons vraagt. We hoeven hem alleen maar ergens op te hangen en hij werkt. In zekere zin is dit ook beslist waar.

OM EEN DROOMVANGER TE GEBRUIKEN, HOEVEN WE GEEN ACTIE TE ONDERNEMEN OF WELKE BEWUSTE INSPANNING DAN OOK TE PLEGEN.

Een andere reden voor hun populariteit ligt helemaal aan de andere kant van het spectrum. We weten dat we een spiritueel zelf hebben, maar in plaats van heel hard te werken om dit te ontwikkelen, zijn we te nerveus of te bang om zelfs maar te proberen voor onze spirit te zorgen. Misschien zijn we te veel bezig met ons materiele leven, of bang voor de kennis die komt met spiritueel bewustzijn. We weten, diep vanbinnen, dat als we gaan kijken naar onze spirituele behoeften, we de manier waarop we ons leven leiden zouden moeten veranderen.

Voor degenen onder ons die zich in deze situatie bevinden, is een droomvanger perfect. Hij is totaal niet beangstigend. Hij ziet er leuk uit en is decoratief. We kunnen zelfs doen of het kunst is in plaats van een spiritueel hulpmiddel. We hoeven geen actie te ondernemen of welke bewuste inspanning dan ook te plegen. We hoeven zelfs niet te geloven dat hij veel doet, terwijl hij er ondertussen toch voor zorgt dat we ons beter voelen. We zouden hem zelfs kunnen zien als een spirituele versie van de luchtverfrisser voor in de auto: hij zorgt simpelweg voor een prettiger atmosfeer.

FUNCTIE

Wanneer we besluiten een droomvanger aan te schaffen, of het nu een bewuste zoektocht of een impulsaankoop is, erkennen we op een bepaald niveau ons spiritueel of onzichtbaar leven en de plaats die dit inneemt. Het betekent ook dat we ofwel de noodzaak voor spiritueel onderhoud erkennen of dat we ons bewust zijn van een onbevredigde spirituele of energetische behoefte of van een gebrek aan balans.

Voor de meesten van ons is het kopen van een droomvanger niet iets dat uitgebreid wordt onderzocht en geanalyseerd. Meestal zien we er één die bij ons in de smaak valt, denken er verder niet over na en nemen hem mee naar huis waar we hem ophangen.

De spirituele behoefte of disbalans kwam waarschijnlijk helemaal niet in ons op; ons onderbewuste hielp ons in de richting van een ervaring die subtiel genoeg was om onze bewuste geest niet af te schrikken.

EEN DROOMVANGER-
ERVARING DOET ZICH
VOOR EN WORDT NIET
GEMAAKT.

Dit is volkomen normaal en helemaal prima. Dus heel vaak zou de keuze voor een droomvanger geen rationele, analytische handeling hoeven zijn. Een droomvanger-ervaring doet zich voor; en wordt niet gemaakt. Het antwoord op de vraag 'Hoe lang werkt een droomvanger?' is dan ook: 'Tot hij niet meer nodig is.'

Wanneer je een droomvanger ophangt, stel je je waarschijnlijk, zoals de meeste mensen, voor dat de fijne draadjes die de web-achtige binnenkant vormen de boze dromen die je slaap proberen binnen te dringen 'vangen', terwijl het gat in het midden de goede dromen onze slapende geest laat doordringen. Dit is waar, maar er is meer dan dat.

Door een droomvanger op te hangen, begin je aan een reis zonder eindbestemming. Het is meer een wandeling langs het spirituele landschap dan een doelbewust doorlopen naar een bepaald spiritueel doel. De sleutel is het te laten gebeuren. Dit is makkelijker wanneer je niet te doelbewust of analytisch bezig bent, dus op goed geluk een droomvanger kopen kan heel goed uitpakken en zelfs beter werken dan een meer doordachte aanpak.

Dromen zijn uitingen van ons onderbewuste. Vaak romantiseren we het onbewuste, denken we dat dit gevuld is met niets dan goede en nuttige informatie, inzichten, en ideeën die ons zeker zouden helpen, als we er maar bij konden komen.

Maar het onbewuste bevat veel meer dan slechts kostbare en verbluffende inzichten. Het is de bewaarplaats van alles wat de bewuste geest ofwel niet kan hanteren of waardoor hij volledig is geobsedeerd. Als je een angstdroom hebt waarin je je huis wilt verlaten voor een belangrijke afspraak maar je portemonnee of je autosleutels de avond voor je sollicitatiegesprek niet kunt vinden, is dit niet bijzonder onthullend.

Het is je onbewuste geest die probeert de stress van de bewuste geest te verlichten. Dit is echter verspilde moeite, aangezien het je totaal niet helpt, en je juist een nacht slecht slapen oplevert. Het is geen noodzakelijke droom. Het is ook niet echt een behulpzame droom.

Daarom is het idee van het vangen van zogenaamde nare dromen heel nuttig, zeker in tijden van veel stress.

Wanneer je je droomvanger boven je bed hangt (of waar je dan ook slaapt), zal hij nare dromen blokkeren door ze in de draden van het web te verstrikken. Daar blijven ze, gevangen in het web, tot de ochtend, wanneer de zon (staat ook symbool voor ons bewustzijn) ze oplost en in het niets laat verdwijnen.

Je goede dromen gaan heen en weer door het gat, van je slapende geest naar het rijk van de spirits, en brengen zo een verbinding tot stand. Wanneer de verbinding eenmaal is gemaakt, worden goede dromen steeds makkelijker je geest ingetrokken.

Droomvangers werken niet alleen 's nachts, voor je persoonlijke dromen. Droomvangers beïnvloeden ook de omgeving om hen heen, daarom hangen sommige mensen ze, behalve in de slaapkamer, ook in andere ruimten van het huis. Ze werken als een verbinding tussen aarde en hemel, het materiele en het spirituele, beneden en boven.

DROOMVANGERS WERKEN ALS EEN VERBINDING TUSSEN AARDE EN HEMEL, HET MATERIELE EN HET SPIRITUELE, BENEDEN EN BOVEN.

Deze rol van verbinder is eigenlijk de belangrijkste taak van de droomvanger: het is de wezenlijke aard van een droomvanger.

Precies zoals ze je helpen je dromen te sorteren, de slechte van de goede te scheiden en meer goede dromen te stimuleren, zo zuiveren ze ook de energie van een huis of ruimte en stimuleren ze de stroom van pure en heilzame energie.

Ze kunnen kinderen (of wie dan ook die wel een beetje hulp kan gebruiken) beschermen en troosten, woede absorberen, communicatie bevorderen, en meer. Hoewel niet alle droomvangers hetzelfde doel hebben. Of eigenlijk zijn sommige droomvangers voor bepaalde functies ontworpen.

Dit maakt deel uit van de interessante bijzonderheden die je op de volgende bladzijden vindt.

TOE-EIGENING

Zoals hiervoor aangegeven zijn droomvangers door de tradities van de Native Americans bij ons terechtgekomen. Doordat we in een onderling meer verbonden wereld dan ooit tevoren leven, worden spirituele (en andere) gebruiken gedeeld met en onderwezen aan een breder publiek.

Dit delen van ideeën is een verrijking voor iedereen en door dit delen evolueren we en creëren we iets nieuws. Er is veel te doen over culturele toe-eigening, en terecht: het is een complexe zaak die verder gaat dan wie een bepaald hulpmiddel of gebruik hanteert. Velen van ons hebben een uniek spiritueel pad voor zichzelf geschapen en daarbij gebruik gemaakt van ideeën en gebruiken die we onderweg leerden en die niet noodzakelijkerwijs behoorden bij de cultuur waarin we zijn geboren en opgegroeid.

Dit is een goede zaak, want we zijn als mensen aan het ondervinden dat alleen omdat we in een bepaalde cultuur (of een bepaald lichaam) worden geboren dit niet betekent dat dit de juiste voor ons is.

EN DAN IS ER
DE KWESTIE VAN
RESPECT EN EERBETOON...
EN DANKBAARHEID.

Daarbij kun je je afvragen in hoeverre het spirit iets uitmaakt waar jij geboren bent en hoe dat jouw verbinding met en je verheerlijking van het goddelijke bepaalt. Cultuur, etniciteit, nationaal geheugen... deze zijn allemaal deel van ons maar die delen bepalen niet het geheel van wat wij zijn en ontnemen ons niet onze vrije wil om te vereren en ons te verbinden op welke manier dan ook authentiek aanvoelt voor onze ziel.

Aan de andere kant is er de kwestie van respect en eerbetoon... en dankbaarheid. Mensen moeten voor zichzelf beslissen of ze strikt vasthouden aan de gebruiken van de cultuur waarin ze geboren zijn of ideeën vanuit andere culturen willen integreren.

Als je daadwerkelijk andere ideeën, hulpmiddelen en gebruiken integreert, zoals het gebruik van een droomvanger, doe dit dan verstandig en respectvol, met eerbied en dankbaarheid. Wees je ervan bewust dat elk gebruik dat vanuit een andere cultuur wordt overgenomen, automatisch zal veranderen. Bijvoorbeeld, vele niet-Hindoes of niet-Boeddhisten beoefenen vandaag de dag yoga in de wetenschap dat wat zij doen heel anders is dan hoe een Hindoe of Boeddhist het zou doen, maar toch hebben ze baat bij de oefeningen.

Dus de praktijk van het dromen vangen die hier wordt aangeboden heeft niet dezelfde betekenis als het gebruik van een droomvanger door de Native Americans, maar reikt ideeën aan wat het voor een moderne, pluralistische, mondiale, spirituele generatie betekent om een droomvanger te gebruiken.

We eren en danken de 'spirits' die de Native Americans hebben geleid in de praktijk van het dromen vangen.

We zijn dankbaar dat we in een wereld leven waarin een steeds breder publiek over droomvangers kan leren en iedereen er op zijn of haar eigen manier mee kan werken.

DEEL 2.

FUNCTIE EN ONTWERP

De meeste mensen denken dat een droomvanger een soort talisman is die boze dromen wegneemt, één met een cirkelvormig frame, versierd met draden, kralen en veren.

Dit is waar, maar het is niet de hele of de enige waarheid. In dit deel onderzoeken we de functies van deze elementen wat nader en zullen we een aantal interessante aspecten van hun ontwerp uitleggen.

Hoe meer je weet van een hulpmiddel dat je gebruikt, hoe effectiever je het kunt gebruiken. Daarnaast zijn droomvangers zo veel complexer en magischer dan algemeen wordt aangenomen, dat we het belangrijk vinden deze boodschap te verspreiden.

EEN DROOMVANGER
WERKT VOLGENS DRIE
BELANGRIJKE FUNCTIES:
FILTER, OPSLAG, KANAAL.

WAT DOEN DROOMVANGERS?

Droomvangers doen meer dan alleen boze dromen 'vangen'. Zoals eerder gemeld trekken ze ook goede dromen aan. Dus ze zijn meer dan alleen een filter-systeem. Ze zijn een verbinding tussen de materiele en de spirituele wereld. Welke functies vervullen ze in hun rol van verbinder? Er zijn drie belangrijke functies: filter, opslag en kanaal.

De functie van reiniger hebben we al eerder genoemd. De droomvanger als reiniger komt het dichtst in de buurt van een **filter**. Een filter scheidt dingen en precies zo scheidt een droomvanger goede en slechte energie, waardoor hij de energie in een ruimte helpt te zuiveren. Als **opslag** houdt een droomvanger energie vast, en bewaart deze. Als **kanaal** beheert een droomvanger de stroom van de energie tussen de materiele en de spirituele wereld.

Dit klinkt nogal abstract. De eenvoudigste manier om deze functies uit te leggen en begrijpen, is door het bestuderen van de theorie van het ontwerp van droomvangers.

HOE WERKEN DROOMVANGERS?

Hier volgen de basisonderdelen en hun functie. Droomvangers zouden boven het hoofd gehangen moeten worden. Indien hij wordt opgehangen in een slaapkamer of in de buurt van een slaapplaats, kun je hierbij uitgaan van waar het hoofd zich bevindt wanneer je slaapt. Indien opgehangen in een andere ruimte om te helpen de omgeving te zuiveren en de energie te versterken, dan is 'hoofdhoogte' hoger.

- de energie stroomt vanaf beneden, naar boven naar de droomvanger
- de veren geleiden de energie
- de draden blokkeren de slechte energie
- de stenen en kralen bekrachtigen of ondersteunen het werk van de draden
- de cirkelvorm creëert grotere harmonie

OMVANG DOET ERTOE

Ik bedoel daarmee niet de omvang van de droomvanger, maar juist de maat van het gat in het midden en de ruimte tussen de draden. Deze worden bepaald door het doel van de droomvanger.

Grotere gaten betekenen een grotere verbinding of kanaalopening, wat de energie vrijer laat stromen. Hoe kleiner de gaten, hoe meer energie wordt verzameld en veranderd door de droomvanger.

Als je een droomvanger ophangt met de intentie communicatie met de spirituele wereld te bevorderen, zul je een wijder web met een groter gat in het midden willen. Voor reiniging, bescherming, of het verzamelen van energie, zal een dichter web met een kleiner gat in het midden je doel beter dienen.

RUW EN GLAD DRAAD

Gewoon glad draad wordt het meest gebruikt en voldoet voor de meeste doeleinden prima. De meeste veelvoorkomende angstdromen zijn niet alleen verwarrend maar ook verward, waardoor ze makkelijker afgeleid en in het web gevangen worden.

Maar bij dieper persoonlijk schaduwwerk zijn de gedachtenpatronen vaak ouder en verder ontwikkeld. Ze zijn sterker, hardnekkiger, en meer vastberaden te blijven bestaan. Daarom wordt er meestal ruwer of grover draad gebruikt voor droomvangers bedoeld voor het zwaardere werk.

GELIJKMATIG OF SPIRAALVORMIG WEBONTWERP

Er bestaan verschillende weefpatronen voor het web:

a. Een **evenwichtig** (gelijkmatig) patroon is stabieler, en zorgt voor een prettige, makkelijke energiestroom. Het neemt wat zijn kant op komt en geeft in gepaste en gelijkmatige delen terug.

b. Een **spiraalvormig** patroon is actiever. Het trekt actief energie aan en beweegt energie met meer kracht heen en weer.

DUBBELE CIRKEL

Alle droomvangers hebben als frame een grote cirkel (meestal gemaakt van hout), die de **aarde** vertegenwoordigt. Sommige droomvangers hebben een tweede houten cirkel, een binnencirkel in het midden, die de **hemel** vertegenwoordigt.

In andere droomvangers wordt de binnencirkel gevormd door het **weefpatroon** van de draden. Droomvangers met een dubbele cirkel geven een extra grote stimulans, wat niet altijd nodig of gewenst is.

Jouw intentie bepaalt wat jouw doelen het beste dient.

KLEUR

Kleur is voor mensen een heel krachtig en suggestief symbool. Verschillende systemen of overtuigingen delen vaak dezelfde interpretaties voor kleuren, hoewel er soms variaties in bestaan. Hier volgen een aantal van de meest gangbare kleurassociaties gebruikt in droomvangerontwerpen.

- **wit:** lucht en wind; gebruikt om het vrij stromen van gedachten en ongecompliceerde communicatie te stimuleren
- **zwart:** de aarde en de fysieke wereld; gebruikt om spirituele energie naar de aarde te wenken
- **bruin:** de horizon, waar de aarde de hemel ontmoet; gebruikt om inzicht en verbinding te vergroten
- **geel:** vuur en spiritualiteit; gebruikt om sjamanistische ervaringen en spiritueel bewustzijn uit te nodigen
- **rood:** vuur, passie en diepe, aangeboren drijfveren; gebruikt om verbinding te maken met de meest wezenlijke, elementaire wijsheid

IEDER OBJECT KAN
WORDEN GEWIJD,
INGEZEGEND EN
OPGELADEN MET
SPIRITUELE OF
MAGISCHE KRACHT.

VEREN

Hoewel het romantisch en 'authentiek' mag lijken om echte arendsveren te gebruiken, is het illegaal om veren van roofvogels te verzamelen of bezitten, behalve voor de Native Americans bij hun traditionele praktijken.

Zoals eerder vermeld zal een vertaling van een gebruik van de ene naar de andere cultuur dat gebruik altijd veranderen, op zowel wereldse als spirituele manieren. Probeer daarom alsjeblieft niet om arendsveren of veren van andere roofvogels te bemachtigen.

Er staan genoeg andere veren tot onze beschikking en we raden je aan te werken met materialen die legaal en ethisch verantwoord zijn waar jij woont.

Hoewel 'echte' objecten (steentjes, planten, veren, enz.) een eigen energie hebben, weten we ook dat intentie bijna net zo belangrijk is en dat ieder object kan worden gewijd, ingezegend en opgeladen met spirituele of magische kracht.

Veren zijn de geleiders in een droomvanger. Ze worden geassocieerd met het element lucht en zijn de kanalen die de energie aantrekken en deze in en door de droomvanger geleiden.

Door zorgvuldig de kleuren te kiezen (zowel de daadwerkelijke kleuren als in relatie tot de kleuren gebruikt voor de draad en de kralen), kun je je droomvanger zo ontwerpen dat hij het best tot stand brengt wat jij wilt.

Legaal en ethisch verantwoord verkregen veren kunnen we op de volgende manieren symbolisch gebruiken:

- **veren van één kleur bij elkaar:** veren van dezelfde of soortgelijke kleur, vaak dezelfde als de kleuren gebruikt in de draad en de kralen, en van vergelijkbare grootte; dit wordt meestal gedaan wanneer je één bepaald soort energie wilt beïnvloeden of één duidelijke intentie wilt uitzetten

- verschillende kleuren bij elkaar: van deze techniek bestaan twee variaties:

  1. veren van dezelfde of gelijksoortige kleur maar verschillend van de draad en kralen; gebruikt om verschillende specifieke energieën te beïnvloeden of, als het vele verschillende kleuren betreft, gebruikt om de algemene energie van een ruimte te beïnvloeden

  2. veren van verschillende kleuren maar gelijk aan de kleur van de kralen en draden en bevestigd in verschillende lagen, wijzen op een verlangen energie te transformeren

GEBRUIK SIMPELWEG
JE EMOTIONELE REACTIE
OP KLEUREN.

KRALEN

Zoals eerder vermeld versterken kralen de draad waarvan het web is gemaakt. Het **soort** kralen dat wordt gebruikt zal de functie van de draad beïnvloeden. Ook het **aantal** en de **plaatsing** van de kralen bepalen het effect dat de droomvanger op de omgeving zal hebben.

De kralen die voor droomvangers worden gebruikt zijn meestal gemaakt van steentjes of (half-)edelstenen. Als je veel van edelstenen weet of een goed edelstenenboek kunt raadplegen, kun je specifieke kralen uitzoeken die jouw intentie ondersteunen.

Zo niet, dan kun je vertrouwen op je kennis van kleurensymboliek (of, als je die niet bezit, simpelweg je emotionele reactie op kleuren gebruiken) om te kiezen welke kraal of kralen het beste zijn.

Hieronder vind je richtlijnen voor het aantal kralen en hun plaats.

Enkele kraal

Wanneer een enkele kraal wordt gebruikt, wordt deze meestal in het midden van de droomvanger geplaatst. De energie die door de draad wordt verzameld, komt samen bij de kraal, stroomt erdoorheen en wordt vergroot, opgeladen, gereinigd of getransformeerd, afhankelijk van de intentie en het ontwerp van de droomvanger.

Willekeurig geplaatste kralen

Willekeurig geplaatste kralen, vooral een oneven aantal, verandert de symmetrie van een droomvanger. Dit is heel nuttig als je de stagnatie van energie in een ruimte wilt opheffen.

Evenwicht

Door een even aantal kralen harmonieus en symmetrisch te plaatsen, wordt de symmetrie en balans van de droomvanger versterkt. Stabiliteit en harmonie worden krachtiger doordat de stroom van energie naar binnen en naar buiten gereguleerd is.

Cirkel of draad

Kralen kunnen op de cirkel(s) of op de draad worden aangebracht.

Wanneer ze op de buitenste cirkel worden geplaatst, die de aarde vertegenwoordigt, wordt de energie die is verbonden met de materiële wereld versterkt. Op de binnenste cirkel (als de droomvanger die heeft, natuurlijk) wordt de energie die hoort bij de hemel of spirit bekrachtigd.

Wanneer de kralen op de draad worden aangebracht, in het web of bij de veren, versterken ze het web en geven de kralen heel krachtig hun energie mee aan de energie die door de droomvanger heen gaat.

EEN DROOMVANGER UITKIEZEN

Je eerste gevoel kan zijn er één te kiezen die je leuk of mooi vindt of misschien één die past bij de kleuren van de ruimte waarin je hem wilt ophangen. Zoals eerder vermeld kan dit heel goed uitpakken, maar nu je meer weet over hoe droomvangers werken, kun je er één kiezen die jouw doel het best kan helpen bereiken. Dus eigenlijk is de allereerste stap erachter komen wat je met je droomvanger wilt bereiken.

Wanneer je dit eenmaal weet, kun je denken over het beste 'medicijn' of de beste aanpak om dat doel te bereiken. Hoewel elke individuele droomvanger (tenzij in grote hoeveelheden gefabriceerd) zijn eigen unieke krachten zal hebben, zijn er vijf algemene soorten droomvangers.

Het zal je waarschijnlijk niet verbazen dat vier hiervan gebaseerd zijn op de vier elementen.

LUCHT WORDT GEBRUIKT
VOOR GEDACHTEN EN
COMMUNICATIE.
VUUR WORDT GEBRUIKT
VOOR DE SPIRIT.
WATER WORDT GEBRUIKT
VOOR EMOTIES
EN RELATIES.
AARDE HELPT MET
FYSIEK WELZIJN.

- **lucht** wordt gebruikt voor situaties die te maken hebben met gedachten of communicatie
- **vuur** wordt gebruikt om spirituele of op levenskracht gerichte zaken te ondersteunen of transformeren
- **water** is ideaal voor emotionele en relationele kwesties
- **aarde** helpt met fysiek welzijn en gezondheidskwesties
- **het laatste type** is ontworpen om de verbinding en stroom tussen hemel en aarde te vergroten

Dit laatste type is een prima droomvanger voor algemeen gebruik of voor het behouden van balans of gezondheid. Dus als een relatie, op het werk of privé, uit evenwicht is, zou je een droomvanger met waterthema op kunnen hangen. Zodra het evenwicht is hersteld, kun je deze verwisselen voor een op verbinding gerichte droomvanger.

Het bepalen van de precieze gewenste uitwerking is vaak het lastigste deel van werken met droomvangers. We weten zo vaak dat 'iets niet goed aanvoelt' maar weten vaak niet precies wat dat iets is.

De volgende stap, een droomvanger uitkiezen, is niet moeilijk. Zolang je je globale wensen in gedachten houdt, kun je verder je hart volgen; zoals eerder gezegd, je kunt er beter niet te veel over nadenken. Dan volgt het makkelijkste onderdeel. Hang eenvoudig de droomvanger op en laat hem zijn werk doen.

Bedenk dat de werkzaamheden van de droomvanger onder andere inhouden het filteren van ongezonde en onnodige energie en dromen, het aantrekken van nuttige en voedende energie en dromen, en het versterken van je verbinding met de spirituele sferen. Afhankelijk van zijn bestanddelen kan hij ook de heling en balans in een ruimte ondersteunen.

Anders dan bij gangbare filters (zoals in ventilatoren, verwarmingsapparaten of luchtverversers) hoeft een droomvanger niet gereinigd te worden, omdat de negatieve energie of nare dromen die in zijn web worden gevangen, vervliegen zodra de zon opkomt.

De energie wordt in deeltjes afgebroken en keert terug naar de aarde of de hemel, waar het wordt herschikt en opnieuw geïntegreerd in de cyclus van het leven.

HET SERENE, STILLE DEEL
VAN JOU, DAT IN
VERBINDING STAAT
MET DE SPIRITUELE EN
ENERGETISCHE SFEREN,
ZAL HET WETEN.

Misschien vraag je je af hoe je zult weten wanneer je de droomvanger weer kunt weghalen? Dat weet je niet. Tenminste, niet bewust. De energieën die hierbij spelen zijn onzichtbaar en stromen vaak onder de gewaarwording van onze bewuste geest.

Daarom moet je luisteren naar je hart en vertrouwen op je intuïtie. Het serene, stille deel in jou, dat in verbinding staat met de spirituele en energetische sferen, zal het weten.

HOE MAAK JE EEN DROOMVANGER?

Wanneer je je eigen droomvanger maakt, kun je precies de onderdelen kiezen die jij wilt. Een droomvanger maken is niet moeilijk en het uitkiezen van je eigen onderdelen, zoals de cirkels, draad, kralen en veren, is leuk, versterkt je verbinding met de droomvanger, en geeft de hele ervaring nog meer betekenis.

Er zijn online vele instructies en handleidingen te vinden hoe je een droomvanger kunt maken. Als je niemand in jouw omgeving kunt vinden om het je uit te leggen, stel ik voor dat je zo veel mogelijk verschillende instructies leest, want het is best lastig om het weven goed uit te leggen, hoewel het in feite niet echt moeilijk is om te doen. Ook instructies via filmpjes (bijvoorbeeld op YouTube) zijn een prima alternatief voor een persoonlijke leermeester.

Verder kunnen de aanwijzingen voor het maken van een droomvanger sterk variëren afhankelijk van hoe ver je wilt gaan in het 'doe-het-zelven'. Je kunt bijvoorbeeld metalen ringen gebruiken voor de binnenste en buitenste cirkel, of je kunt wilgentakjes verzamelen om te gebruiken. Je kunt stukjes leer verzamelen en snijden of je eigen draad spinnen... of je kunt kant-en-klaar draad of garen gebruiken.

In hoeverre je het ook 'helemaal zelf' wilt doen, bedenk de eenvoudigste, meest stijlvolle manier om je doel te bereiken en ontwerp een hulpmiddel dat zowel aantrekkelijk als effectief is.

DEEL 3.

DROMEN

We begrijpen nog steeds niet helemaal wat dromen zijn en wat hun functie is. Er zijn natuurlijk, nu en in het verleden, en in allerlei culturen, wel vele theorieën geweest. We zullen hier kort de waarschijnlijk meest geaccepteerde en populaire theorieën over dromen, zowel vanuit psychologisch als spiritueel gezichtspunt, op een rijtje zetten.

DE PSYCHOLOGISCHE AARD VAN DROMEN

In dromen worden onze belevenissen van die dag verder verwerkt. Ze stellen ons in staat de gebeurtenissen van de dag te ordenen, analyseren, uitleggen en herinneren. Door in onze droomtijd op deze gebeurtenissen terug te blikken, past onze geest een soort interne of mentale schoonmaak toe.

Door onze geest in staat te stellen de dagelijkse ervaringen opnieuw te beleven, helpen dromen ons bij het leren en het maken van langetermijnherinneringen. Met andere woorden, ze helpen versterken wat het belangrijkste voor ons is om van onze ervaringen uit het verleden mee te nemen naar onze toekomst.

Dromen leggen herinneringen niet simpelweg steviger vast in de geest; ze passen de herinneringen aan zodat ze nuttiger zullen zijn voor de toekomst. Ze maken ook een afweging wat als onnodig kan worden beschouwd. Gebeurtenissen, feiten en ervaringen die niet noodzakelijk zijn of worden gezien als 'rommel', worden uit je bewuste geheugengebied verwijderd. Wanneer de herinneringen aan de dagelijkse gebeurtenissen gefilterd en gereinigd zijn, worden degene die niet als 'rommel' worden beschouwd opgeslagen voor toekomstig gebruik.

Soms worden bijzonder verontrustende ervaringen diep in ons onderbewuste opgeslagen, waardoor onze bewuste geest veilig blijft van indrukken die hij niet bereid is te aanvaarden. In de loop van de tijd beginnen deze indrukken langzaam los te komen, steeds wat dichter naar je bewustzijn.

Deze kleine stapjes helpen de bewuste geest zich voor te bereiden om ernstige zaken te verwerken, wat nodig is voor je mentale en emotionele gezondheid.

Hoewel deze dromen onprettig kunnen zijn, zijn ze wel noodzakelijk. Weet je nog, droomvangers blokkeren alleen destructieve dromen. Als een droom moeilijk of verontrustend is, maar als doel heeft je mentale, emotionele of spirituele gezondheid te herstellen of behouden, wordt die droom gerespecteerd en toegestaan binnen te komen. Een andere reactie zou het natuurlijk helingsproces van de psyche in de weg staan.

Als hulpmiddel dat is ontworpen voor heling en het behoud van evenwicht, kan een droomvanger geen dingen doen die een goede gezondheid in de weg staan.

DE SPIRITUELE AARD VAN DROMEN

Dromen verbinden ons met de spirituele wereld. Dat is althans wat velen van ons geloven. Dromen hebben deel uitgemaakt van vele spirituele en religieuze praktijken gedurende, voor zover we weten, de hele geschiedenis.

Joodse en Christelijke tradities vertellen vele verhalen over mensen die zowel profetische dromen als dromen over verbinding met God hebben. Sjamanen, aanhangers van de natuurreligie, en inheemse culturen doen bijzonder betekenisvol werk met dromen, zowel profetisch als praktisch. Andere religies kennen leiders of volgers die via dromen verlichtende boodschappen ontvangen.

Dromen zijn een prachtig hulpmiddel om goddelijke leiding te ontvangen en er zijn manieren om je droomvanger te gebruiken om deze ervaringen te versterken of verdiepen.

DOOR HET SIMPELWEG
OPHANGEN VAN EEN
DROOMVANGER BOVEN
JE SLAAPPLEK, STIMULEER
JE DE STROOM VANUIT
DE SPIRITUELE WERELD
NAAR JE DROMEN.

Ten eerste, door het simpelweg ophangen van een droomvanger boven je slaapplek, stimuleer je de stroom vanuit de spirituele wereld naar je dromen. De droomvanger helpt je die verbinding schoon en helder te houden door onnodige energieën uit te filteren, energieën die als een soort ruis zijn, en die het moeilijker maken de droom te horen en te zien. Hij helpt ook met het uit de weg ruimen van onnodige informatie, wat we 'boze' dromen of nachtmerries noemen, dromen die naar ons toe worden getrokken, niet omdat we ze nodig hebben, maar omdat we ons hebben overgegeven aan obsessieve, ongezonde gedachtenpatronen. Want het gelijke trekt het gelijke aan, hoe meer wij ons overgeven aan negatieve gedachten, hoe meer negatieve gedachten, beelden en dromen we naar ons toe trekken.

Dit leidt tot een tweede manier waarop droomvangers kunnen helpen onze verbinding met spirit te versterken, één waarbij wij een actievere rol kunnen spelen. Zoveel van onze negatieve gedachten zijn het bijproduct van onze reacties op verwachtingen die we onszelf opleggen vanwege de maatschappij, familie, vrienden, de media, enz. Als we eraan werken die kwijt te raken, maken we ruimte voor positievere gedachten.

En daarnaast geven we, als we ons richten op positievere gedachten, negatieve gedachten minder macht en controle over onze geest. Meditatie is een geweldig instrument om je te helpen je geest te zuiveren van zinloze en ongezonde gedachten, en daarentegen spiritueel voedende ideeën uit te nodigen om wortel te schieten in onze geest. Veel mensen zeggen dat ze mediteren moeilijk vinden omdat ze geen controle hebben over hun gedachten en hun geest niet stil krijgen.

Gelukkig heb je een droomvanger met als taak het filteren van nutteloze, ongezonde energie, het aantrekken van heilzame en gezonde energie, en het verbeteren van je verbinding met de goddelijke spirit. Mediteren onder een droomvanger is een fantastische manier om jezelf gereed te maken voor het ontvangen van spiritueel betekenisvolle dromen en het opbouwen van weerstand tegen negatieve of verontrustende angstdromen of gedachten.

DE MEESTE PLAATSEN
KUNNEN DOOR DE MENS
WORDEN VERANDERD,
NAMELIJK DOOR WAT
WE DAAR DOEN
OF PLAATSEN.

DEEL 4.

OMGEVING

Zoals eerder vermeld kunnen droomvangers worden opgehangen met de intentie de energie van een ruimte te reinigen, transformeren, en harmoniseren. Verschillende stromingen, vooral de filosofie van Feng Shui, erkennen de belangrijke verbinding tussen de materiele wereld en de stroom van de onzichtbare energetische wereld.

De meesten van ons hebben weleens een ruimte, gebouw of plek (buiten) betreden en voelden daarbij onmiddellijk de energie van die omgeving: rustgevend, chaotisch, verkwikkend, beklemmend of van welke aard dan ook.

Hoewel het waar is dat sommige plaatsen op aarde een heel eigen energie hebben die heel wezenlijk is en bijzonder moeilijk te veranderen (zoals bijvoorbeeld Stonehenge), zijn de meeste plaatsen neutraler van aard en kunnen door de mens worden veranderd, namelijk door wat we daar doen of plaatsen.

Om ruimtes te creëren die de emotionele, mentale en spirituele gezondheid het meest ondersteunen, dien je eerst de ruimte te evalueren voor wat betreft haar energie. Als je een kamer of ruimte in je huis hebt die niet goed aanvoelt, waarop mensen negatief reageren wanneer ze er binnenkomen, of waar altijd ruzies en misverstanden ontstaan, probeer dan te achterhalen welke energie de boventoon voert. Agressieve energie? Of juist behoeftig? Zelfzuchtig? Dominant? Manipulerend? Deze energie kun je zien als spirituele vervuiling.

Kijk dan of er iets in die ruimte is dat wellicht het brandpunt of de toegang is, of iets dat deze energie ondersteunt. Zo ja, doe wat je kunt om dit te verwijderen of te veranderen.

Veel objecten in de fysieke wereld kunnen spirituele vervuiling creëren, en zo zijn er ook dingen die een gezonde spiritueel energetische omgeving in stand kunnen houden.

Uiteraard kan een droomvanger hierbij helpen, maar als je de ruimte en haar inhoud niet evalueert en opruimt, is het als het ophangen van een luchtverfrisser boven een stapel rottend afval.

Ten eerste, alle energie zal 'slecht' worden als de energetische flow van de ruimte niet deugt. Als energie niet kan stromen, stagneert ze. Zoals stilstaand water of muffe lucht, is gestagneerde energie zwaar, drukkend, en ongezond. Hoe langer ze blijft hangen, hoe erger het wordt. Je hoeft beslist de kunst van Feng Shui niet meester te zijn. Maar puur door je gezonde verstand te gebruiken, kun je door een ruimte lopen en zeggen of de stroom natuurlijk en prettig voelt. Zo niet, deel de ruimte dan anders in, verwijder misschien een of meerdere meubelstukken, als het gewoon te vol is.

Rommel is ook iets dat absoluut invloed heeft op de stroom van energie. Het bezitten van te veel spullen maakt het leven moeilijker, want je kunt minder makkelijk vinden wat je nodig hebt en niets in de ruimte heeft voldoende ruimte om te ademen. Ook maakt het, op een energetisch niveau, het moeilijk voor nieuwe dingen om in je leven te komen wanneer je leefruimte overvol is met onnodige spullen. Het is echt verbazingwekkend hoeveel het wegdoen van onnodige spullen de atmosfeer in een ruimte, en zodoende je leven, verandert. Het is de eenvoudigste en meest betrouwbare magie die ik ken.

De volgende makkelijke en snelle energetische oplossing voelt misschien niet zo gemakkelijk, vooral als schoonmaken niet je hobby is. Rommel is één ding... dat gaat om spullen... vuil is een heel ander geval.

Zelfs al heb je maar drie dingen in een ruimte staan, als deze overdekt zijn met stof, vuil, etensresten, gemorst drinken, of wat dan ook, als de vloeren zo vuil zijn dat je sokken zwart worden, als er spinnenwebben in de hoeken hangen en stofnesten onder de meubels liggen, stroomt de energie misschien wel, maar omdat, weet je nog wel, het gelijke het gelijke aantrekt, zal de binnenkomende energie ook in enige staat van ontbinding verkeren. Dat is wat vuil en stof is... zaken in verschillende staat van ontbinding.

De zaken schoon houden helpt ze gezond houden, niet alleen op energetisch niveau maar ook op mentaal en emotioneel niveau. Dit houdt ook dingen in die we niet altijd zien of waar we vaak niet aan denken, zoals luchtfilters in verwarmingsapparaten of ventilatoren.

Zodra een ruimte is opgeruimd en gereinigd, kun je stappen ondernemen die zorgen voor het behoud van een goede energetische gezondheid.

We hebben het gehad over het symbolisch belang van kleuren bij een droomvanger en hoe belangrijk kleur is voor mensen. Kleur kan ogenblikkelijk een gevoel oproepen of veranderen. We weten dat kunstenaars, ontwerpers van restaurants, reclamebureaus (om er maar een paar te noemen) kleuren begrijpen en heel bewust gebruiken om een bepaalde respons te creëren.

Welk gevoel roepen de kleuren van jouw kamer op? Rijke, donkere kleuren kunnen warm en sfeervol zijn, maar bij een teveel hiervan of gebruik zonder enige lichte of heldere kleur ter compensatie, kunnen ze zwaar en drukkend aanvoelen. Lichte kleuren kunnen koel en opwekkend zijn, maar als ze niet worden getemperd door een beetje warmte kunnen ze ongeaard of kil aanvoelen. Gebruik kleur om de juiste balans te creëren voor de energie die jij verlangt.

Planten hebben een duidelijke invloed op de energie in een ruimte. Zieke of afstervende planten dienen uiteraard verwijderd te worden. Daarnaast kun je heel gemakkelijk de energetische kwaliteiten van verschillende kamerplanten of zelfs bloemen (bloeiende kamerplanten en snijbloemen) onderzoeken, en die planten kiezen die de energie ondersteunen die jij wilt in je huis.

Ook dieren hebben invloed op de energie in een ruimte. In veel doktersspreekkamers en ziekenhuizen vind je aquaria, omdat het kijken naar vissen heel ontspannend werkt. Huisdieren hebben, net als mensen, hun eigen unieke energie die een wisselwerking heeft met de energie in een ruimte. Andere kleine diertjes als muizen, spinnen, mieren of andere insecten hebben ook hun invloed op de energie. Hoewel we begrijpen dat deze wezentjes ook het recht hebben hun leven te leven en een belangrijk deel van het ecosysteem zijn, hebben mensen al duizenden jaren aangevoeld dat het delen van onze levensruimte met dit gedierte niet goed is voor ons of voor hen.

Eerder vertelden we hoe je eventueel twee droomvangers kunt gebruiken wanneer je de energie van een ruimte wilt transformeren. De eerste wordt gebruikt om een bepaalde energie weg te nemen of juist toe te laten, om een ruimte te reinigen en te helen. Wanneer het evenwicht en de gezondheid zijn hersteld, wordt een andere droomvanger gebruikt om die balans te bewaren.

Als je de eerste droomvanger in de ruimte zou houden nadat de heling had plaatsgevonden, zou je simpelweg een tegenovergestelde onbalans creëren.

Werken met energie is niet moeilijk. Het lijkt soms lastig omdat we niet gewend zijn om te letten op het gevoel van een ruimte.

Zodra je ruimtes met spirituele ogen gaat bekijken, zul je zien waar de problemen liggen en zul je, met een beetje kennis en door op je intuïtie te vertrouwen, in staat zijn ruimtes te creëren die jou en het leven dat jij wilt leven, ondersteunen.

CONCLUSIE

We hopen dat dit boek je heeft geholpen en je kennis van hoe droomvangers werken en wat ze voor je kunnen betekenen heeft vergroot.

Mogen je dromen aangenaam, inspirerend en onthullend zijn!

Informatie: www.schors.nl

Colofon
Oorspronkelijke titel: *Dreamcatching*
Uitgegeven door: © 2016 Lo Scarabeo
Vertaling: Ilona Poppe Vertalingen
Illustraties: © Shutterstock

ISBN 978-90-75145-57-1 • NUR 720 • SBO 30